图书在版编目（CIP）数据

爱捣乱的瑞可 /（奥）威宁格著；（法）塔勒绘；
杨玲玲，彭懿译. -- 北京：中信出版社，2016.3（2023.5 重印）
（遇见美好系列. 第1辑）
书名原文：A ball for all
ISBN 978-7-5086-5699-1

Ⅰ. ①爱… Ⅱ. ①威… ②塔… ③杨… ④彭… Ⅲ.
①儿童文学－图画故事－奥地利－现代 Ⅳ. ①I521.85

中国版本图书馆 CIP 数据核字（2015）第 277225 号

EIN BALL FUR ALLE
a minedition book

Chinese edition published in 2016 by CITIC Press Corporation

爱捣乱的瑞可

著　　者：[奥] 布丽吉特·威宁格
绘　　者：[法] 伊芙·塔勒
译　　者：杨玲玲　彭　懿
出版发行：中信出版集团股份有限公司
（北京市朝阳区东三环北路27号嘉铭中心　邮编　100020）
承 印 者：山东韵杰文化科技有限公司

开　　本：889mm × 1194mm　1/16　　印　　张：2　　字　　数：15千字
版　　次：2016年3月第1版　　印　　次：2023年5月第32次印刷
京权图字：01-2015-5640
书　　号：ISBN 978-7-5086-5699-1
定　　价：19.80元

出　　品：中信儿童书店
策划编辑：张昭　喻之晓　何嘉璐
责任编辑：喻之晓
营销编辑：王澜
封面设计：[illegible]
内文排版：博远文化

爱捣乱的瑞可

爱捣乱的瑞可

[奥] 布丽吉特 · 威宁格　著　　[法] 伊芙 · 塔勒　绘
杨玲玲　彭懿　译

中信出版集团 | 北京

小老鼠麦克斯正和小伙伴们在草地上开心地玩儿呢。

“看球！莫莉，球飞到你那儿啦！”小黑鸟贝琳达喊道，她不得不提醒着点儿，因为小鼹鼠莫莉的眼神儿不太好。

可这时，莫莉好像发现了什么，她抬起头，仔细瞅了瞅，又闻了闻，说:“谁？还有谁在这儿？”

于是，大伙儿都朝四周张望起来。

“哦，不！是睡鼠瑞可！”小刺猬亨利小声说，他的神情很紧张。

“他一定是来捣乱的！”小黑鸟贝琳达说。

“睡鼠瑞可从来都不友好。”青蛙弗雷迪说着，偷偷地瞄了一眼那个黑影。

“大家都别理他。”贝琳达说。

“不管他，”麦克斯说，“咱们接着玩儿！”

麦克斯摆好球，瞄准，抬起自己的那条小短腿，一脚把球踢了出去。

嗖——球朝灌木丛飞了过来。

瑞可像闪电一样冲了过去。他跳起来，一把接住球，逃跑了。

“喂！把球还给我们！”几个小伙伴大喊。

但是，瑞可丝毫没有停下来的意思，头也不回地跑了。

麦克斯气得都快说不出话了：“他怎么能这样呢！”

“真是太可恶了！”贝琳达说，“我就知道他是来捣乱的！”

“发……发生了什……什么事？”弗雷迪一脸困惑地问。

“我想，我能找到他。”莫莉说着，上闻闻，下嗅嗅。

贝琳达可气坏了：“等咱们找到他，有他好看的！”

不一会儿，他们发现了一个黑漆漆的洞口。

“这儿就是瑞可的家。”莫莉小声地说。

“咱们现在该怎么办？”麦克斯问。

“咱们得把球要回来！”贝琳达说，“弗雷迪，快过来呀！”

“咚咚咚！”贝琳达用嘴使劲儿地敲门，“快点儿出来！把球还给我们！”

“呱呱！”弗雷迪应和着。

可是，没人来开门。

“或许家里没人。”亨利说，“恐怕咱们得明天再来了。”

他们越想越生气，可一点儿办法也没有。

过了一会儿，他们坐下来，一起商量该怎么办。

“瑞可那家伙总是捣乱，害得大家都没法玩儿了。”贝琳达说道。

“为什么呀？呱呱！为什么他要这么做呀？”弗雷迪问。

“我也不知道。”贝琳达还在气头上。

“要不，咱们请狐狸来帮帮忙，”亨利说，“他可是森林里最强壮的动物。”

“狐狸才懒得关心咱们的球呢。”莫莉说，“不行，明天咱们再过来，自己把球要回来！”

只有麦克斯什么都没说，他一直在安静地思考。

第二天，他们又来到了瑞可家门口。

这回，莫莉和亨利自告奋勇，冲上前去敲门。

瑞可的妈妈开了门，问道：“你们是谁呀？”

“嗯……呃……那个……那个……可不可以把球还给我们呢？”莫莉和亨利结结巴巴地说，“昨天，瑞可抢走了我们的球。”

瑞可的妈妈很生气，转身走进洞里。

“瑞可！”她吼道。

五个小伙伴直愣愣地站在那儿，不知该如何是好。

突然，有个东西顺着又黑又长的走廊朝他们滚了过来。

“是咱们的球！”几个小伙伴大喊。

麦克斯一把抓住球，搂得紧紧的。

“快走吧，我们一分钟都不想多待了。”几个小伙伴齐声说。

但麦克斯还站在那儿，一副若有所思的样子。

忽然，他好像知道自己该怎么做了……

麦克斯把球往里一扔，球又顺着那条走廊滚了回去。

“嗨！瑞可！”他喊道，“你为什么不出来跟我们一起玩儿呢？我们就在那边的草地上，你带上球一起来吧！”

其他几个小伙伴呆住了。他们看着麦克斯，不敢相信自己的耳朵。

“你疯了吗，麦克斯？”贝琳达说，“你明明知道他不会来的，而且咱们的球再也要不回来了！”

“永——远——回不来啦！”弗雷迪说。

“谁知道呢？”麦克斯高兴地吹着口哨，一瘸一拐地向草地走去。

果然，瑞可出来了。他手里还拿着球，正准备出发呢。

“太棒啦！你能来真好！”麦克斯说，“不能玩球可真是有点儿无聊呢。你想和我们一起玩儿吗？不过，玩儿的时候大家都得多留心，因为莫莉的眼神不太好，弗雷迪的耳朵不太灵，而我的腿跑不快。你还愿意和我们一起玩儿吗？”

瑞可想了一会儿，点了点头。

“我的劲儿可大了。”他对这些新朋友说，“要不，我当守门员吧，这样就不会把大家撞倒了。”

“好主意！”麦克斯说，“咱们走！”

几个小伙伴玩儿啊，玩儿啊，一直玩儿到天都黑了。

瑞可最后一次接住了球，问：“对了，这是谁的球呀？”

“是咱们大家的！”五个小伙伴说。

“那就是说，它也是我的啦？”瑞可乐坏了，“今天晚上我可以把它带回家吗？”

“当然可以啦！”麦克斯说，“只要大家学会分享，一个球就够啦！”

［奥］布丽吉特·威宁格

1960 年生于奥地利的库夫施泰因市，曾在幼儿园从教 20 年，非常熟悉儿童心理。1999 年成为自由作家，专门从事儿童文学写作。代表作有“小兔波力”系列等。作品曾获得奥本海姆白金图书奖和“奥地利最美童书”称号。威宁格的作品被译为 30 多种文字，深受各国儿童喜爱。现居故乡，愿望是活到 107 岁，天天快乐，尝试更多好玩的东西！

［法］伊芙·塔勒

1956 年生于法国的米卢斯市，童年在德国度过。1981 年，她开始从事书籍插图创作，曾在出版社工作 18 年，为上百本书绘制过插图。现与两个儿子和同为插画家的丈夫居住在法国布列塔尼地区，养有三只狗、两只猫、两匹马和两头驴。她最爱的是弹钢琴、散步和坐马车出去玩！

扫一扫
收听本书故事